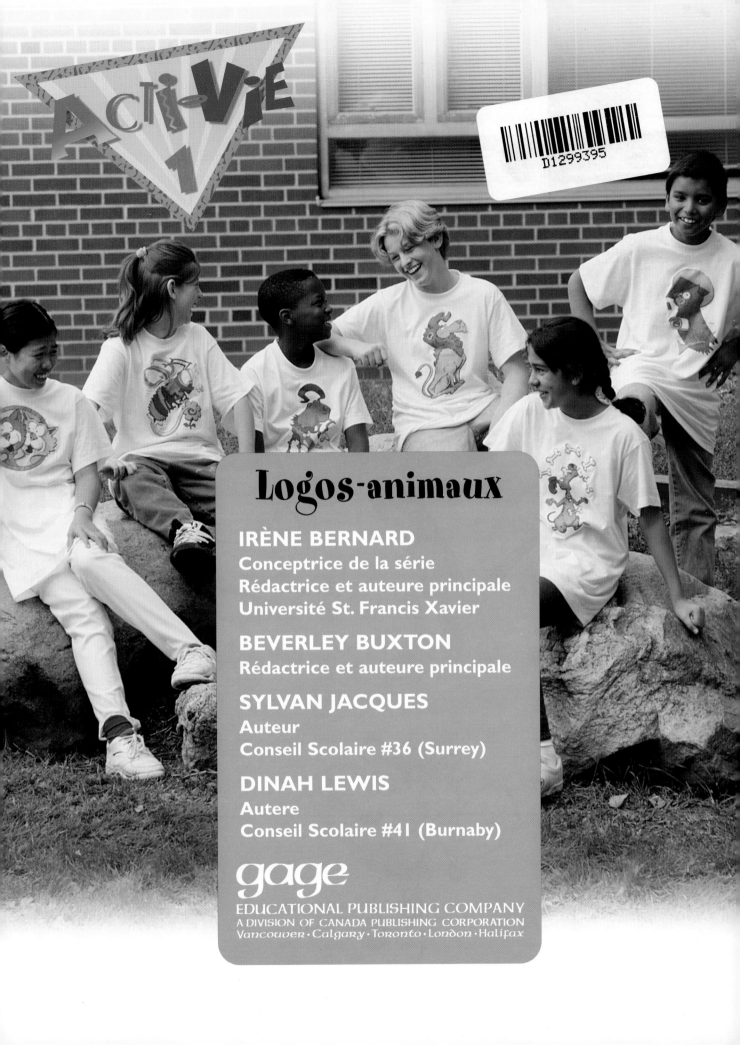

Acti-Vie 1

Logos-animaux

IRÈNE BERNARD
Conceptrice de la série
Rédactrice et auteure principale
Université St. Francis Xavier

BEVERLEY BUXTON
Rédactrice et auteure principale

SYLVAN JACQUES
Auteur
Conseil Scolaire #36 (Surrey)

DINAH LEWIS
Autere
Conseil Scolaire #41 (Burnaby)

gage
EDUCATIONAL PUBLISHING COMPANY
A DIVISION OF CANADA PUBLISHING CORPORATION
Vancouver · Calgary · Toronto · London · Halifax

Les animaux dans les logos

1

3

2

4

5

6

7

8

Quel animal est-ce qu'on préfère?

4	1	10	6	3	1	6	1	0	1
la baleine	l'ours	le chien	le cheval	le lion	la chouette	le chat	la girafe	la souris	l'abeille

Les animaux préférés d'une classe de quatrième année à l'école NDA, Chéticamp, Nouvelle-Écosse

Quel animal est-ce que tu préfères?

Rosie

la baleine	l'ours	le chien	le cheval	le lion

Simon

la chouette	le chat	la girafe	la souris	l'abeille

Qu'est-ce que c'est?

C'est

un = **1** cheval

une chouette

Bravo, les animaux!

chantée par Matt Maxwell et ses amis

Refrain :
Qu'ils sont beaux, tous les animaux!
Bravo, bravo, tous les animaux!

Quel est ton animal préféré?
Fifi, qu'est-ce que c'est?
Je préfère le chien.
(Ça va bien.)

Quel est ton animal préféré?
Hé, Dave, qu'est-ce que c'est?
Je préfère le chat.
(Il chasse les rats.)

Refrain

Quel est ton animal préféré?
Caroline, qu'est-ce que c'est?
Je préfère le cheval.
(Quel bel animal.)

Quel est ton animal préféré?
Lucille, qu'est-ce que c'est?
Je préfère la chouette.
(J'adore cette bête.)

Refrain

Quel est ton animal préféré?
Gonzo, qu'est-ce que c'est?
Je préfère le lion.
(J'aime ce son.)

Quel est ton animal préféré?
Pierre, qu'est-ce que c'est?
Je préfère la baleine.
(Elle est la reine.)

Refrain (bis)

la baleine

le chien

le chat

Comment est le chat?

doux

beau

grand

mignon

rapide

fort

gros

Comment est la souris?

rapide

grande

belle

mignonne

douce

grosse

Le chat est mignon.

doux.

rapide.

La souris est mignonne.

douce.

rapide.

forte

9

Des logos de toutes les couleurs

vert

bleu

jaune

noir

1

2

3

4

6

7

5

violet

blanc

rouge

orange

marron

argent

or

beige

turquoise

rose

gris

brun

*

Une visite au Zoo

amusant

courageuse

amusante

courageux

intelligent

travailleur

travailleuse

intelligente

sociable

énergique

énergique

sociable

Le lion est

La girafe est

intelligent.

intelligente.

courageux.

courageuse.

Drôles de chats

adaptation
d'un texte de
Martin Leman

J'aime mon chat
avec un a
parce que mon chat est
amusant.

J'aime mon chat
avec un d
parce que mon chat est
doux.

J'aime mon chat
avec un m
parce que mon chat est
mignon.

J'aime mon chat
avec un b
parce que mon chat est
beau et brillant.

Dictionnaire des autres animaux et caractéristiques

Animaux

Masculin   *Féminin*

un aigle

un pingouin

une chèvre

un canard

un rat

une grenouille

un castor

un requin

une pieuvre

un cochon

un rhinocéros

une tortue

un éléphant

un serpent

un guépard

un singe

un lapin

un taureau

un orignal

un tigre

un papillon

un vautour

un perroquet

Caractéristiques physiques

Masculin		Féminin	Masculin		Féminin
agile		agile	mélodieux		mélodieuse
laid		laide	petit		petite
long		longue	tranquille		tranquille

Caractéristiques de personnalité

Masculin		Féminin	Masculin		Féminin
actif		active	féroce		féroce
affectueux		affectueuse	fier		fière
confiant		confiante	généreux		généreuse
courageux		courageuse	gentil		gentille
comique		comique	honnête		honnête
déterminé		déterminée	joyeux		joyeuse
énergique		énergique	fidèle		fidèle
enthousiaste		enthousiaste	sage		sage